LE SEIGNEUR DES ANN
LES DEUX TOURS ™
GUIDE DU FILM

" Il y a une ligue entre les deux Tours – Orthanc et Barad-dûr (la Tour Sombre). "

Traduit de l'anglais par Alice Delarbre

Édition originale publiée en Grande-Bretagne par Collins en 2002
Collins est une marque de HarperCollins*Publishers*
77-85 Fulham Palace Road,
Hammersmith, London W6 8JB

www.leseigneurdesanneaux.com

Texte : David Brawn
Adapté du scénario par : Fran Walsh, Philippa Boyens, Peter Jackson et Stephen Sinclair
Suivi éditorial : Aisling FitzPatrick
Conception graphique : James Stevens
Suivi de fabrication : Chris Wright

Photographies : Pierre Vinet et Chris Coad

ISBN : 2-07-053802-8
Numéro d'édition : 14577
Dépôt légal : novembre 2002

Imprimé en Belgique par Proost

LE SEIGNEUR DES ANNEAUX
LES DEUXTOURS™
GUIDE DU FILM

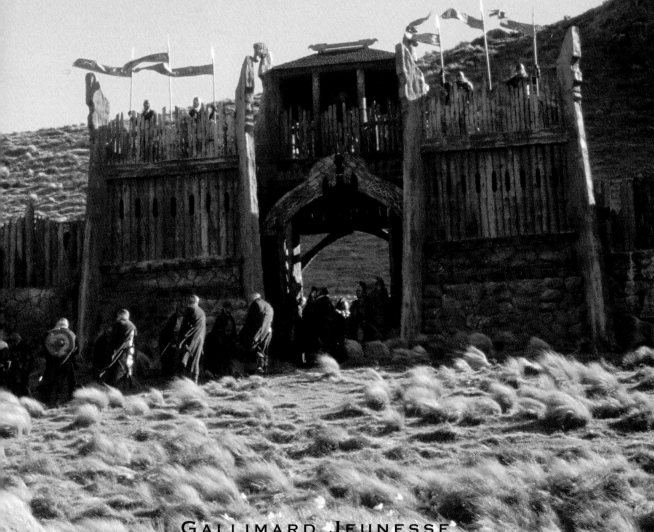

GALLIMARD JEUNESSE

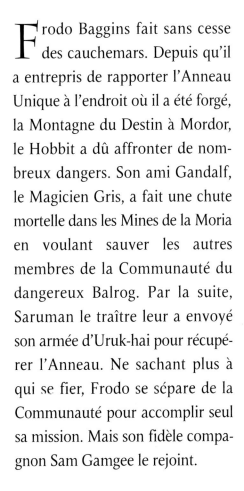

Frodo Baggins fait sans cesse des cauchemars. Depuis qu'il a entrepris de rapporter l'Anneau Unique à l'endroit où il a été forgé, la Montagne du Destin à Mordor, le Hobbit a dû affronter de nombreux dangers. Son ami Gandalf, le Magicien Gris, a fait une chute mortelle dans les Mines de la Moria en voulant sauver les autres membres de la Communauté du dangereux Balrog. Par la suite, Saruman le traître leur a envoyé son armée d'Uruk-hai pour récupérer l'Anneau. Ne sachant plus à qui se fier, Frodo se sépare de la Communauté pour accomplir seul sa mission. Mais son fidèle compagnon Sam Gamgee le rejoint.

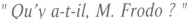

" Qu'y a-t-il, M. Frodo ? "

" Rien. Juste un rêve. "

" Mordor... le seul endroit de la Terre du Milieu dont nous devrions nous tenir éloignés ; et le seul endroit que nous cherchons à atteindre. "

L e voyage est long et éprouvant. Sam craint qu'ils ne se soient trompés de chemin, et Frodo s'inquiète de la lenteur de leur progression. Pour aller plus loin, ils savent qu'ils doivent quitter les collines et s'aventurer plus bas, dans les marais.

Mais quelqu'un les suit − quelqu'un qui guette l'occasion de saisir l'Anneau...

" Mon trésor... "

Séparés des autres, Merry Brandybuck et Pippin Took sont prisonniers des Uruk-hai, les guerriers de Saruman, qui les emmènent à leur base d'Isengard.

" Je pense que nous avons commis une erreur en quittant la Comté, Pippin. "

Leurs ravisseurs se demandent pourquoi Saruman leur a ordonné de capturer les deux jeunes Hobbits.

" Ils possèdent quelque chose qui est nécessaire à la guerre, quelque artifice elfique. "

Pippin rapporte à Merry les propos qu'il a surpris.

" Ils pensent que nous avons l'Anneau ! "

" Chut. S'ils découvrent la vérité, nous sommes morts ! "

Les trois derniers membres de la Communauté de l'Anneau – Aragorn, Legolas et Gimli – recherchent désespérément pendant trois jours et trois nuits leurs amis captifs. Ils trouvent la broche de Pippin, un cadeau des Elfes, dans les plaines de Rohan.

" Ils sont vivants ! "

*" Rohan,
le royaume des Cavaliers. "*

Ils sont surpris par l'arrivée d'une centaine de cavaliers puissants, les Cavaliers de Rohan. Leur chef, Éomer, est le Troisième Maréchal de Riddermark et le neveu du roi Théoden.

*" Que viennent faire un elfe,
un homme et un nain
à Riddermark ? "*

Le camp des Uruk-hai est attaqué par les cavaliers d'Éomer et, dans la confusion, Merry et Pippin réussissent à s'échapper. Ils se réfugient dans la forêt de Fangorn où ils sont poursuivis par le furieux Grishnakh.

" Sale petite vermine ! Je vais vous réduire en lambeaux palpitants. "

Un allié inattendu vient à leur secours.

" Qui êtes-vous ? "

" Je suis un Ent. Certains m'appellent Sylvebarbe (Treebeard). "

Aragorn, Legolas et Gimli suivent la trace des Hobbits dans l'inquiétante forêt de Fangorn. Soudain, ils aperçoivent un vieil homme qui les observe à travers les arbres.

" Saruman ! "   *" Le Magicien Blanc... "*   *" Mais c'est... Gandalf ! "*

Devant eux se tient leur ami et guide, Gandalf, revenu à la vie.

" Dans les entrailles profondes de la terre vivante... je l'ai combattu − le Balrog de Morgoth. L'obscurité m'a pris... Mais ce n'était pas fini. La tâche n'avait pas été menée à bien − j'ai été renvoyé sur terre. "

" C'est le seigneur des chevaux.
Il m'a été fidèle
dans toutes les épreuves. "

Le nouveau Gandalf apprend à ses amis que Merry et Pippin sont sains et saufs, et qu'ils doivent quitter la forêt. La guerre va bientôt éclater à Rohan et leur présence sera utile. A l'orée de la forêt, Gandalf appelle son cheval, Gripoil (Shadowfax).

Frodo et Sam finissent par attraper la créature qui les suit en secret. Il s'agit de Gollum, l'ancien possesseur de l'Anneau qui a été corrompu par son pouvoir. Il supplie Frodo, " le Maître du Trésor ", de le laisser le servir. Frodo accepte à une condition :

" Vous connaissez le chemin qui mène en Mordor. Menez-nous à la Porte Noire. "

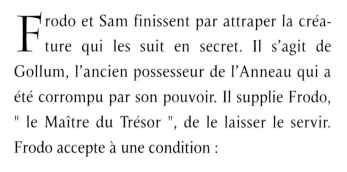

Gollum guide les Hobbits à travers de mornes contrées désolées où ne se trouvent qu'eaux stagnantes et roseaux fanés. Sam se méfie de lui.

" Il nous a menés dans un marécage ! "

Tandis qu'ils poursuivent leur voyage dans les marais, Gollum leur raconte son histoire. Il y a longtemps de cela, son cousin Déagol découvrit l'Anneau, alors qu'ils étaient en train de pêcher. Gollum, ou Sméagol comme il s'appelait alors, désirait tant l'Anneau qu'il tua son cousin pour le lui voler.

*" On m'a traité d'assassin…
et on m'a chassé. "*

Après avoir commis ce terrible forfait, Gollum partit de chez lui et s'installa dans une caverne sous les Monts Brumeux, avec l'Anneau pour seule compagnie. Misérable et triste, il ne fit alors que s'apitoyer sur son propre sort.

G andalf et ses trois compagnons, de nouveau réunis, chevauchent en direction d'Edoras, la capitale de Rohan.

" Meduseld, le château d'Edoras, où demeure maintenant Théoden, roi de Rohan. "

Alors qu'ils approchent du Château d'or, les gardes du roi leur barrent la route.

" Je dois vous prier d'abandonner ici vos armes avant d'entrer, Gandalf le Gris, par ordre de Langue de serpent (Grima Wormtongue). "

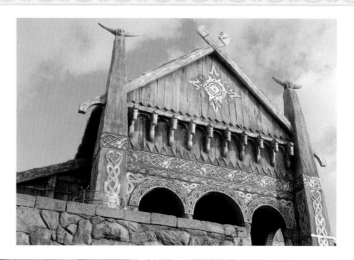

" Voudriez-vous donc priver un vieillard du bâton sur lequel il s'appuie ? "

La nièce du roi, Éowyn, porte le deuil de son cousin Théodred, blessé à mort en combattant les Orques de Saruman. Désormais elle s'inquiète pour son frère, Éomer.

Le conseiller du roi, le détestable Langue de Serpent, ne cesse d'importuner Éowyn. Elle le fascine malgré le mépris qu'elle lui porte.

" Laissez-moi, serpent… Vos paroles sont empoisonnées. "

" Je comprends. Sa mort est difficile à accepter – surtout maintenant que votre frère vous a abandonnée. "

" Vous avez toujours été un annonciateur de malheur. Pourquoi vous ferais-je bon accueil, Gandalf, Corbeau de Tempête ? "

Conduit devant le roi Théoden, Gandalf est frappé de voir combien il a vieilli depuis leur dernière rencontre. Il perçoit l'influence de Saruman sur le roi...

" Trop longtemps êtes-vous resté dans les ombres. Je vous libère de ce sortilège ! "

Langue de Serpent comprend ce qui se passe, mais trop tard.

" Son bâton ! Ne vous avais-je pas conseillé d'interdire son bâton ? "

L ibéré de l'emprise de Saruman, Théoden revient à la raison et retrouve son ancienne vigueur. Il découvre que Langue de Serpent est un traître et le chasse de son palais.

" Et ses chuchotements étaient toujours présents à vos oreilles, empoisonnant votre pensée. "

" L'exil est un sort trop doux pour vous. "

Saruman est furieux de voir que Gandalf a libéré le roi Théoden de son emprise. Il décide de tout mettre en œuvre pour conquérir le royaume de Rohan. Il arme une troupe de cinq cents sauvages du Pays de Dun, des montagnards qui vivent dans les collines autour de Rohan, et les envoie semer le chaos et tout détruire sur leur passage.

" *Reprenez les terres qu'ils vous ont volées. Brûlez tous les villages !* "

" Ce n'est qu'un avant-goût de la terreur que Saruman fera régner... "

Gandalf conseille au roi Théoden d'envoyer ses troupes combattre l'armée de Saruman pour protéger les femmes et les enfants. Le roi décide de faire évacuer la ville et d'emmener son peuple en un lieu sûr, la citadelle du Gouffre de Helm.

A ragorn supervise le départ des derniers chevaux. Brego, le destrier du défunt prince Théodred, a participé à de trop nombreuses batailles et refuse de porter un autre cavalier.

" Libérez-le. Il a suffisamment fait la guerre. "

Gollum mène Frodo et Sam à la Porte Noire de Mordor, qui s'ouvre sur une profonde vallée au creux des sinistres montagnes grises. Elle est gardée par de féroces Orques en faction.

" Le Maître a dit : Amenez-nous à la Porte. Alors, le bon Sméagol le fait. "

Venus des Terres de l'Est, des Hommes terrifiants passent en longue colonne à côté de Frodo et Sam, pour pénétrer en Mordor par la grande Porte d'acier.

" Nous voilà fixés. Nous ne pouvons entrer par ici. "

Langue de Serpent retourne auprès de son véritable maître. Il dit à Saruman que l'instinct de Théoden le mènera au Gouffre de Helm. Saruman décide d'envoyer ses Orques pour attaquer les réfugiés.

" Théoden a commis deux erreurs.
D'abord il t'a fait confiance, puis il t'a laissé en vie. "

À la Cité des Arbres, Elrond convoque le conseil des Elfes. Il pense qu'il est de leur devoir de participer à la lutte contre Sauron, mais il ne fait pas l'unanimité.

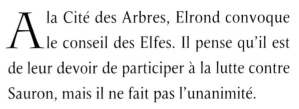

" Les Anneaux des Elfes ne furent pas forgés pour devenir les armes d'une conquête. Ils ne peuvent aider les Hommes. "

" L'alliance entre les Hommes et les Elfes a pris fin. "

Un peu plus tard, Elrond tente de convaincre Arwen qu'elle a pris la mauvaise décision en choisissant de rester avec Aragorn. Elle doit se rendre compte qu'en s'engageant avec un mortel, elle devra supporter de le voir vieillir et mourir alors qu'elle restera jeune.

" Tu ne trouveras ici rien d'autre que la mort. "

" Des Wargs ! ! ! "

Alors que les réfugiés et les soldats traversent les montagnes, ils sont pris en embuscade par des Orques chevauchant de gigantesques loups. Ils rompent les rangs pour engager le combat avec la redoutable légion de Wargs qui les attaque, et Aragorn se trouve pris dans un duel à mort avec Sharku.

Frodo et Sam atteignent les bois de l'Ithilien et tombent sur une troupe d'Hommes de Gondor qui les prennent pour des espions au service des Orques. Ils leur bandent les yeux et les emmènent à leur repaire secret d'Henneth Annûn.

Les Hommes de Gondor découvrent la nature de la mission de Frodo. Apprenant que Boromir faisait partie de la Communauté, le chef de la troupe, Faramir, leur annonce une mauvaise nouvelle…

" Vous étiez un ami de Boromir ? Vous serez donc attristés d'apprendre sa mort. "

Faramir leur révèle qu'il est le frère de Boromir et le fils de Dénéthor, l'Intendant de Gondor. Après avoir appris que Frodo était le porteur de l'Anneau Unique, il fait la promesse de mener l'Anneau à Gondor et d'accomplir la mission de Boromir.

Sylvebarbe conduit Merry et Pippin au plus profond de la forêt. Ils atteignent la Chambre des Ents et attendent patiemment que les esprits de la forêt discutent de leur destin.

" Ça dure depuis des heures. "
" Ils doivent avoir pris leur décision maintenant. "

" Une décision ? Mais nous n'avons eu le temps que de nous dire bonjour ! "

Merry et Pippin demandent de l'aide dans leur lutte contre l'esprit malfaisant d'Isengard. Leur appel est entendu et les Ents acceptent de se rendre au repaire de Saruman.

" Mes amis, nous allons à notre propre fin : la dernière marche des Ents... "

Les réfugiés et les soldats de Rohan finissent par atteindre l'ancienne citadelle du Gouffre de Helm. Ils se rassemblent dans la cour de Fort.

Alors que Legolas et Gimli pénètrent en galopant dans le fort, le roi Théoden raconte à Éowyn qu'ils ont été pris dans une embuscade.

" Le Seigneur Aragorn… Où est-il ? "

" Il est tombé au combat en protégeant la retraite. "

Tombé au combat contre Sharku, Aragorn est plus mort que vif. Alors qu'il peine à se relever, il reçoit une aide inattendue.

" Brego… ? "

Ramené sain et sauf au Gouffre de Helm par Brego, Aragorn a des nouvelles urgentes pour le roi Théoden. Il a vu des milliers d'Uruk-hai faisant route vers la citadelle.

" Tout Isengard s'est vidé… Ils sont dix mille au moins. C'est une armée formée dans un seul but : la destruction du monde des Hommes. "

egolas est inquiet : les défenseurs ont peur et trois cents des leurs ris-
quent de ne pas résister à une armée de dix mille Uruk-hai. Il se sent
trahi par son peuple et estime que les Elfes n'auraient pas dû laisser les
Hommes se battre seuls.

Les Uruk-hai atteignent le Gouffre de Helm et la grande bataille commence !

La troupe atteint Osgiliath, qui fut autrefois une des plus grandes villes du royaume de Gondor, mais que des années de guerre ont laissé en ruine. Faramir a l'intention d'emmener Frodo à Minas Tirith, la capitale du Gondor, et d'utiliser l'Anneau dans leur lutte contre Sauron. Sam l'implore :

" L'Anneau ne sauvera pas Gondor. "

Faramir finit par voir le pouvoir maléfique de l'Anneau et comprend qu'il ne peut être utilisé pour faire le bien. Il accepte de laisser Frodo, Sam et Gollum poursuivre leur voyage vers Mordor et les mène à de vieux égouts par lesquels ils pourront éviter les patrouilles des Orques.

" Allez, Frodo, allez avec la bonne volonté de tous les Hommes de bien. "

Merry et Pippin atteignent Isengard avec la troupe des Ents. Depuis sa tour, Saruman regarde les puissants gardiens d'arbres abattre les murailles entourant sa forteresse.

" Il y a un Magicien enfermé dans sa tour. Occupons-nous de lui ! "

Pendant ce temps, Gandalf le Blanc prévient ses amis, épuisés par la bataille du Gouffre de Helm, que les Orques et leurs semblables n'ont pas encore dit leur dernier mot.

" La colère de Sauron sera terrible et sa vengeance ne se fera pas attendre.
La bataille pour le Gouffre de Helm est terminée.
Celle pour la Terre du Milieu est sur le point de commencer. "

*" Tous nos espoirs reposent désormais sur deux petits Hobbits...
qui se trouvent quelque part dans la nature."*